AANVALLEN!

Voor Marije

Vivian den Hollander

Aanvallen!

Met tekeningen van Harmen van Straaten

Van Holkema & Warendorf

Lees alle voetbalboeken van Vivian den Hollander:
Goal! (Getipt door de Nederlandse Kinderjury)
Aanvallen! (Getipt door de Nederlandse Kinderjury)
Kampioenen! (Getipt door de Nederlandse Kinderjury)
Buitenspel (Getipt door de Nederlandse Kinderjury)
Hé, scheids! (Getipt door de Nederlandse Kinderjury)
Vrije trap
Toernooi
Scoren (omnibus)
Aftrap (omnibus)
Mijn eigen voetbalboek

Achtste druk 2008

AVI nieuw: M5
AVI oud: 6
ISBN 978 90 269 9789 1

© 1997 Uitgeverij Van Holkema & Warendorf,
Unieboek BV, Postbus 97, 3990 DB Houten

www.unieboek.nl
www.viviandenhollander.nl

Tekst: Vivian den Hollander
Illustraties: Harmen van Straaten
Vormgeving: Ton Ellemers

Inhoud

Meiden aan de bal

'Wie gaat er mee voetballen?' Tim rent de klas uit en pakt zijn bal van de kapstok. Hè, hè, het is eindelijk pauze.

'Ik doe mee!' roept Samir. Met nog een paar jongens uit de klas rent hij achter Tim aan naar het plein.

'Is dat nou de bal die je van je tante gekregen hebt?' vraagt Marc.

'Nee, joh,' zegt Tim. 'Die is veel te mooi om mee te spelen. Er staan handtekeningen van voetballers op.'

'Echt?' Samirs stem klinkt een beetje jaloers.

Tim knikt. 'Als je een keer bij me komt spelen, zal ik ze laten zien.'

'En hoe kom je dan aan deze bal?'

'Van mijn zakgeld gekocht,' zegt Tim. 'Mijn andere bal was lek geschoten. En zonder bal verveel ik me rot.'

'Vond je moeder dat zomaar goed?' Samir herinnert zich nog hoe boos Tims moeder was toen Tim de ruit van de voordeur had ingeschoten.

'Ze weet het niet.' Grinnikend laat Tim de bal een paar keer op de grond stuiteren. 'Kom op, we beginnen. Wie gaat op doel?'

'Ik natuurlijk,' roept Samir, 'en Gijsjan hoort bij ons en Marc en...'

'Wacht op mij!' Hijgend komt Willem de school uitgerend. 'Die stomme juf. Waarom moet ik nou altijd eerst mijn sommen af hebben voor ik naar buiten mag.' Hij slaat de bal uit Tims hand en schiet hem keihard tegen de muur. 'Ik haat sommen!'

'Mooi schot!' roept Lindsey. Met haar handen in de zakken van haar broek staat ze naar de jongens te kijken. 'Mogen Leonne en ik ook meedoen?'

'Nee!' Willem schiet de bal nog een keer tegen de muur. 'Meiden kunnen we niet gebruiken.'

Tim ziet het teleurgestelde gezicht van Lindsey.

Hij denkt even na. Dan rent hij op de bal af en stopt hem met zijn voet. 'Doe niet zo stom! Dit is mijn bal, dus ik zeg wie mee mag doen.'

Willem kijkt Tim verbaasd aan en begint te lachen. 'Ach man, maak je niet druk. Als jij Lindsey zo aardig vindt, mag ze er best bij. En Leonne ook.'

Tim voelt dat hij een kleur krijgt. Hij draait zich snel om.

'Meiden, jullie mogen meedoen.'
Maar ze zijn al weggerend.

Na de pauze komt Tim verhit de klas binnen. 'Pfff, wat heb ik het warm!'
'Wat denk je van mij,' zegt Marc. 'Ik heb wel vijf doelpunten gemaakt. Neem je morgen weer je bal mee?'
'Goed.' Tim legt de bal op zijn tafeltje en loopt naar de kraan. Hij drinkt lang. Hij laat ook water in zijn handen lopen en spat het tegen zijn gezicht. Zo, daar knap je van op!
'Zeg Tim, laat je wat water over? De planten moeten vandaag nog krijgen en het bord moet schoon...'
'Ja juf.' Tim draait de kraan dicht en loopt naar zijn plaats. Hij kan nog steeds niet goed tegen de grapjes van zijn nieuwe juf. Maar ze geeft hem een knipoog en pakt zijn bal. 'Hoe ging het voetballen?'
'Heel goed!' roept Willem. 'Onze partij heeft gewonnen. Ik was steeds in de aanval.'
'En ik heb een echte kopbal gemaakt,' roept Marc.
'Dat klinkt goed.' Juf Gerda kijkt de klas rond. 'Nu we het toch over voetbal hebben, wie heeft zin in een wedstrijdje tegen de Dulebonk? De directeur van die school heeft me gebeld. Ze willen over twee weken tegen ons spelen. We mogen het veld van Blauw-Wit gebruiken.'
'Jááá!' Een heleboel jongens beginnen te juichen.
'Wat is dat nou?' vraagt de juf verbaasd. 'Zijn hier geen meisjes die van voetbal houden?'
Lindsey steekt langzaam haar vinger op. 'Ik, juf. Ik hou heel veel van voetbal. En Leonne ook.'
'Waarom zeg je dat nu pas?'

'Omdat we van de jongens toch nooit mee mogen doen.' Lindsey schudt haar hoofd en haar lange blonde paardenstaart zwaait mee.

Dat is niet waar, denkt Tim. Van mij mag Lindsey meedoen. Zo vaak als ze wil. Maar hij zegt niets. Straks lacht Willem hem weer uit.

'Dan gaan we dat gauw veranderen,' zegt juf Gerda. 'De Dulebonk speelt met twee gemengde teams. Jongens en meisjes door elkaar. Dat doen wij dus ook.'

'Yes!' Lindsey klapt blij in haar handen. 'Ik kom, juf. En Leonne, enne...' Ze gebaart naar de andere meisjes dat ze een vinger op moeten steken. '...En Annelies en Karine ook.'

'Fijn!' De juf schrijft de namen op het bord. 'En wie van de jon-

gens heeft zin om in een gemengd team te spelen?'
'Ik!' Tim steekt meteen zijn hand op. Zo'n kans laat hij zich niet ontnemen. Het liefst zou hij iedere dag een wedstrijd spelen.
Er komen nog veel meer namen op het bord.
'Voorlopig hebben we spelers genoeg,' zegt de juf. 'En iedereen die niet meespeelt, komt toch wel aanmoedigen?'
'Tuurlijk!' roept Jantien. 'Mijn vader heeft in zijn winkel nog een paar toeters liggen. Zal ik die meenemen?'
'Jááá!' Willem springt op zijn stoel en maakt van zijn handen een toeter. 'Toet... toet... toen, groep vier wordt kampioen!'
De hele klas doet hem meteen na. 'Toe... toe... toen, we worden kampioen!'
Samir pakt Tims bal van het tafeltje en kopt hem een paar keer

de lucht in. 'We moeten vast gaan oefenen, juf. Over twee weken is de wedstrijd al.'

'Nu?' Juf Gerda schudt haar hoofd. 'Dat vind ik niet zo'n goed idee. Hoe moet het dan met onze rekensommen?'

'Ah, juf! Die snappen we heus wel. Toe nou!' De hele klas kijkt haar smekend aan.

Maar de juf laat zich niet ompraten. 'Nee, jongens. Het kan echt niet. Luister, ik heb een beter plan. Morgen tussen de middag blijven we op school eten. We kiezen dan twee partijen en spelen meteen een wedstrijdje.'

'En overmorgen, en over-overmorgen en over-over-overmorgen...' Lindsey kan bijna niet meer stoppen met praten. 'Dan moet jij wel je bal meenemen, Tim.'

'Mij best.' Tim probeert het zo onverschillig mogelijk te zeggen, maar hij voelt zich geweldig.

Ze gaan oefenen voor het schoolvoetbal en Lindsey doet mee!

Te laat

'Tim, kom je nog?' Tims moeder trekt haar jas aan. 'Opschieten, straks komen we te laat!'
Met zijn voetbalschoenen in zijn hand rent Tim de trap af. 'Kijk
eens hoe mooi ze glimmen, mam. Ik heb ze speciaal voor deze
wedstrijd gepoetst. We zullen die Dulebonk eens een poepie
laten ruiken.'

'Wat zeg je nou?' zegt zijn moeder.

'Dat roept onze trainer altijd als we ons best moeten doen. "Jongens, laat ze een poepie ruiken".'

'Oh.' Tims moeder zoekt in haar tas naar de autosleutels, maar Tim ziet dat ze moet lachen.

Het is maar goed dat mijn moeder penningmeester van Blauw-Wit is geworden, denkt hij. Nu vindt ze voetbal gelukkig niet meer zo erg als vroeger.

Hij rent terug naar zijn kamer om de rest van zijn spullen te pakken. Vlug propt hij alles in zijn sporttas. 'Oké, ik ben klaar.' Ze lopen naar de auto en stappen in.

'Weet je,' zegt zijn moeder, 'je kunt ook zeggen: "hak ze in de pan!". Dat riepen wij vroeger met hockey altijd.'

Tim kijkt zijn moeder verbaasd aan.

'Mijn ploeg was erg fanatiek,' zegt zijn moeder. 'We wilden alles winnen.'

'Oh.' Tim kan zich niet voorstellen dat zijn moeder vroeger op het veld liep te schreeuwen. 'En ken je daar onze voorzitter van Blauw-Wit van?' Tim vindt het leuk om zijn moeder uit te horen, vooral als hij merkt dat ze er verlegen van wordt.

'Ja,' zegt zijn moeder. 'Ik had hem al jaren niet gezien en opeens ontmoette ik hem op het voetbalveld.'

'Dat heb je dan mooi aan mij te danken,' zegt Tim trots. 'Als ik niet op voetbal was gegaan, was je hem niet tegengekomen.'

'Dat is waar,' zegt zijn moeder en ze start de motor. 'Zullen we gaan?'

'Ja,' zegt Tim, 'we gaan ze eerst een poepie laten ruiken, en daarna hakken we ze in de pan.'

Ze rijden naar het veld van Blauw-Wit.

'Wie doen er allemaal mee vanmiddag?' vraagt zijn moeder.

Tim telt op zijn vingers. 'Samir en Marc, die bij mij in de groep trainen. Lindsey en Leonne, Gijsjan. En nog veel meer.'

'Is Lindsey dat meisje met dat lange blonde haar? Ze speelt toch ook bij Blauw-Wit?'

Tim knikt en kijkt gauw door het raampje naar buiten.

Bij het stoplicht moeten ze wachten.

'Gelukkig, we zijn mooi op tijd,' zegt zijn moeder. 'Ik heb straks nog een bespreking met Onno, want Blauw-Wit bestaat binnenkort zestig jaar.'

'Zestig jaar?'

Tims moeder knikt. 'Het wordt een groot feest. We gaan van alles organiseren.' Opeens schiet haar iets anders te binnen. 'Zeg, Tim, je hebt toch wel je scheenbeschermers meegenomen? Je weet hoe belangrijk ik dat vind.'

'Tuurlijk!' Tim trekt de rits van zijn sporttas open en laat de beschermers zien. 'En hier zijn mijn sportkousen en mijn handdoek en...' Zenuwachtig trekt hij al zijn spullen uit de tas. 'Mijn broek, ik ben mijn sportbroek vergeten!'

'Nee toch!' Tims moeder rijdt een hoek om en parkeert de auto half op de stoep. 'Zit hij er echt niet in?'

Tim schudt zijn hoofd. 'Kijk zelf maar.'

Zijn moeder haalt de kleren uit de tas. 'Suffie, er zit ook geen shirt in.'

'Dat hoeft niet,' zegt Tim. 'Ik krijg een shirt van de juf, met de naam van onze school erop. Maar zonder broek kan ik echt niet meedoen. Ik ga niet in mijn onderbroek het veld op. We moeten terug.'

'Oh!' Zijn moeder zucht diep. Ze kijkt in haar achteruitkijkspiegel en geeft een flinke ruk aan het stuur. 'Je bent uren bezig geweest je voetbalschoenen te poetsen en aan de rest denk je niet!'

Tim knippert met zijn ogen en probeert zijn tranen tegen te houden. 'Kom... kom ik nu nog wel op tijd?'

Een schot in eigen doel

Een kwartier later komt Tim het veld op gerend. Hij heeft zijn voetbalbroek en schoenen al aan.

Waar staat mijn juf nou? denkt hij. Hij ziet een heleboel kinderen, maar niet één van zijn klas.

Ongerust rent hij naar het andere veld. Straks is de wedstrijd al afgelopen! Zo laat is het toch nog niet?

Opeens hoort hij getoeter. Toet... toet... toeteretoet...!

Dat moet Jantien zijn. Tim kijkt rond en ziet zijn juf staan. Ze heeft een shirt in haar hand en roept dat hij moet komen.

Buiten adem staat Tim even later voor haar. 'Hoe is de stand?'

'2-2,' zegt de juf. Ze trekt het groene shirt over zijn hoofd. 'Waarom ben je zo laat?'

Maar Tim heeft geen tijd om antwoord te geven. Hij gooit zijn tas op het gras en wacht tot de scheidsrechter hem een seintje geeft om mee te spelen. Dan rent hij het veld op.

Meteen komt Marc naar hem toe. 'Waar bleef je nou, man! We hebben je hard nodig. Die tegenpartij is onwijs sterk.'

Op het moment dat Tim iets terug wil zeggen, ziet hij een bal op zich afkomen. Hij holt erheen en stopt hem met zijn schoen. Snel kijkt hij rond. Naar wie zal hij overspelen? Waar staat Lindsey? En Willem?

'Schiet hem terug naar de keeper,' hoort hij Marc roepen. 'Vlug!'

Tim bedenkt zich niet langer. Hij speelt Samir de bal aan.

Maar een meisje van de tegenpartij rent er razendsnel op af

17

en... zjoefff... Voordat Samir de bal kan pakken, schiet zij hem keihard het doel in.

Goal!

Met zijn handen voor zijn ogen laat Tim zich op de grasmat vallen.

Wat erg! Een doelpunt voor de tegenpartij. Door zijn schuld! Had hij die bal maar wat harder naar de keeper geschoten.

Hij durft niet om zich heen te kijken. Wat zullen de meiden van hem denken. En Samir. Die zal straks wel tegen hem tekeer-gaan!

Maar de scheidsrechter fluit voor de aftrap en de wedstrijd gaat verder.

Tim loopt naar voren. Hij heeft geen zin om achterin te blijven. Zo'n misser zal hem geen tweede keer overkomen.

'Kom op, jongens. Aanvallen!' roept juf Gerda. 'Ja, Lindsey. Neem mee die bal!'

Dat hoeft ze geen twee keer te zeggen. Lindsey houdt de bal goed bij zich en rent langs de tegenpartij. Ze wil naar Leonne overschieten, maar een lange jongen haalt haar in en pakt de bal af met een sliding.

'Goed zo, Sander,' roept de tegenpartij.

'Shit!' Lindsey boort teleurgesteld de neus van haar schoen in het gras. Maar als Jantien begint te toeteren, gaat Lindsey ervandoor. Ze haalt Sander in en probeert de bal terug te krijgen.

Opeens valt Sander. Kreunend ligt hij op de grond. 'Auwww!' roept hij. 'Au, auwww! Ik werd onderuit gehakt!'

'Nietes!' Lindsey kijkt hem woedend aan. 'Ik hakte helemaal niet. Jij viel gewoon!'

'Welles!' Sander kreunt nog harder en wrijft over zijn been.

De scheidsrechter fluit. 'Vrije trap voor de Dulebonk.'

'Niks vrije trap,' roept Lindsey. 'Die jongen viel expres.'

Tim knikt en loopt naar de scheidsrechter toe. 'Ze hakte echt niet. Ik zag het zelf.'

'Vrije trap,' zegt de scheidsrechter nog een keer en hij kijkt Tim streng aan.

'Laat maar,' mompelt Lindsey tegen Tim. 'Straks word jij nog van het veld gestuurd.'

'Oké,' zegt Tim, 'omdat jij het wilt. Maar eerlijk is het niet.' Hij loopt naar Sander en trekt hem overeind. 'Gaat het?'

'Nee!' Sander blijft boos kijken. Hij legt de bal voor zijn voet en schiet hem weg.

Tim wil erachteraan gaan, maar Willem heeft de bal al te pakken. Hij rent naar het doel en schreeuwt: 'Naar voren, Lindsey. Naar voren! Dit is onze kans.'

Lindsey loopt zo hard ze kan. Om haar heen is geen tegenstander te bekennen.

'Daar komt-ie!' roept Willem.

Als Lindsey omkijkt, ziet ze een hoge bal aankomen. Ze denkt geen seconde na, springt op en kopt de bal het doel in.

'Ja, hij zit! Goeie bal!' Willem springt uitgelaten de lucht in. '3-3!'

Tim rent blij naar Lindsey en slaat tegen haar uitgestoken handen. 'Wat een kanjer van een kopbal was dat. Wat een timing!'

'Goed, hè,' zegt Lindsey. 'Maar als Willem niet zo'n mooie voorzet had gegeven, had ik hem er nooit ingekregen.' Ze kijkt Willem dankbaar aan en doet voor hoe ze sprong om te koppen.

'Na de rust nog zo'n bal,' zegt Willem.

Tim kijkt verbaasd om zich heen. Is het nu al rust? Door het getoeter van Jantien heeft hij het fluitje van de scheidsrechter niet gehoord.

Maar de juf wenkt dat ze moeten komen. 'Wie heeft er zin in limonade?'

'Ik!' roept Lindsey.

'Ik ook!' roept Willem. Met de armen om elkaars schouders gaan ze naar de juf.

Tim kijkt ze na. Waarom heb ik niet zo'n mooie voorzet gegeven, denkt hij verdrietig. Dan had ik daar naast Lindsey gelopen. Door die stomme fout van mij is het nu gelijk spel.

'Straks,' fluistert hij. 'Mijn beurt komt straks...'

De tweede helft

'Kom op, daar gaan we weer.' Juf Gerda klapt in haar handen.
'Is iedereen klaar?'

'Jááá!' roept Marc. 'We gaan de Dulebonk inmaken. Let maar
op!'

'Zo mag ik het horen,' zegt de juf. 'Denk aan die voorzet van
Willem. Zo wil ik er meer zien vanmiddag.'

'Doen we.' Willem kijkt zelfverzekerd. 'Lindsey en ik jagen wel
een paar ballen het doel in!'

Praatjesmaker, denkt Tim. Hij rent gauw het veld op.

De tegenpartij staat al te wachten. Sommige spelers dribbelen
nerveus op hun plek. Als de scheidsrechter fluit voor de aftrap,
gaan ze meteen in de aanval.

'Kom op, jongens, pak die sukkels de bal af,' roept Willem.
Maar de tegenpartij houdt de bal goed in bezit en maakt een
prachtig doelpunt. En kort daarna weer een.

Samir duikt helemaal in de zijkant van het net, maar hij kan
niks meer redden. 'Hou die bal dan ook weg bij het doel,'
schreeuwt hij met overslaande stem. 'Nu is het al 5-3!'

Tim schrikt. Dat halen we nooit meer in, denkt hij.

Hij krijgt de bal te pakken en binnen een paar seconden raast
hij het halve veld over. Dit wordt zijn kans. Nu kan hij laten zien
wat hij kan.

'Schiet over naar Gijsjan,' hoort hij Marc roepen. 'Die staat
helemaal vrij.'

Maar Tim heeft helemaal geen zin om de bal af te staan.

Nog een paar stappen en hij kan hem het doel inknallen.

Hij merkt te laat dat een jongen met een kaalgeschoren hoofd hem inhaalt. Met een elleboog wordt Tim opzijgeduwd en zo raakt hij de bal kwijt.

Tim wil roepen dat dit vals spel was, maar dan voelt hij iets vreemds in zijn mond. 'Au,' roept hij geschrokken. 'Mijn tand. Mijn tand is eruit!'

De scheidsrechter legt het spel stil en komt meteen naar Tim toe. 'Wat is er aan de hand?'

'Die gabber gaf me een elleboog,' zegt Tim boos. 'Net toen ik wilde scoren. En nou ben ik ook nog mijn tand kwijt.' Hij spuugt een beetje bloed uit en zoekt de grasmat af. Maar de tand is nergens te zien.

'Hier, neem wat water.' Lindsey komt met een veldfles aange-hold. 'Gaat het?' vraagt ze bezorgd.

Tim voelt met zijn tong aan het gat en knikt een beetje zielig.
Hij bedenkt dat hij maar beter niet kan vertellen dat die tand al
los zat. Lindsey doet net zo aardig tegen hem.
'Stuur die gabber van het veld af,' roept Willem opgewonden.
'Hij zou een rode kaart moeten krijgen!'
Maar de scheidsrechter doet net of hij het niet hoort. 'Vrije trap
voor Tim,' beslist hij.
'Voor mij?' Tim ziet dat Lindsey vol verwachting naar hem
kijkt. Hij neemt een grote aanloop en schiet de bal keihard het
doel in.
Eindelijk, die zit!

Een halfuur later loopt Tim teleurgesteld met Samir het veld af.
Ze hebben verloren.
'Ik vond het een waardeloze wedstrijd!' roept Samir en hij veegt
met de mouw van zijn shirt het zweet van zijn voorhoofd.

'Die scheids floot hartstikke slecht. Nu kunnen we niet eens meedoen aan de finale!'

'Had ik die bal maar niet zo zacht naar Samir geschoten,' zegt Tim verdrietig. 'Dan hadden we tenminste gelijkgestaan.' Hij zakt in de kleedkamer neer op de houten bank. Eén doelpunt, één doelpuntje had hij maar kunnen maken. De tegenpartij was echt sterk!

'Ha, die Tim. Ben je zover?' Tims vader kijkt om de deur.

'Nee, nog lang niet!' Tim zit met zijn hoofd tussen zijn handen en staart somber voor zich uit.

'Niet zo goed gevoetbald vanmiddag, jongens?' vraagt Tims vader voorzichtig.

'Nee!' Samir smijt zijn voetbalbroek op de grond. 'Als die scheids niet zo stom had gefloten, hadden we vast gewonnen!'

'Zeg dat wel!' Willem springt boven op de bank. 'Ik moest vijf minuten het veld af. En bij de tegenpartij mochten ze allemaal blijven. Die scheids was echt hartstikke partijdig.'

'Kijk, ze hebben ook een tand uit mijn mond geramd.' Tim laat zijn vader het gat zien.

'Jij hebt geluk dat het een melktand was,' zegt zijn vader. 'Volgende keer winnen jullie vast weer. Zeg, schiet je wel een beetje op? Ik wacht buiten.'

Tim trekt net zijn shirt uit als de deur van het douchehok opengaat.

'Betrapt!' Lindsey en de andere meiden komen giechelend de kleedkamer binnen. Ze hebben een plastic bekertje in hun hand. 'Wie wil er afkoelen? Wij hebben heerlijk water. Gratis en voor niets.'

'Meiden!' gilt Marc. Hij slaat zijn handen voor zijn ogen, maar

haalt ze meteen weer weg. 'Ga naar je eigen kleedkamer!'

'Ja, weg jullie.' Gijsjan zwaait met zijn voetbalkous en probeert de meisjes op afstand te houden.

Maar Samir schrikt het meest. Hij staat nog in zijn blootje en slaat snel een handdoek om. 'Oprotten jullie! Ik ga het tegen de juf zeggen, hoor. Meiden mogen hier niet komen.'

'Oh nee?' roept Leonne stoer. 'En wie gluurde er laatst op school om het hoekje van de meidenkleedkamer? Toen ík me net stond af te drogen?' Ze loopt naar Samir en doet alsof ze het bekertje water boven zijn hoofd wil omkiepen. Ze ligt dubbel van het lachen als hij bang in elkaar duikt. 'Watje!'

'Wie is hier een watje?' roept Willem. Hij springt van de bank af en stompt tegen de onderkant van het bekertje. 'Zo kun je zelf een beetje afkoelen.'

'Niet doen!' Leonne doet geschrokken een stap achteruit en Tim krijgt een golf water uit het bekertje over zich heen.

Pfff... Hij weet even niks te zeggen. Proestend blaast hij het water van zijn gezicht.

'Sorry, ik deed het echt niet expres!' roept Leonne.

Willem probeert zijn lachen in te houden, maar als hij Tim met zijn natte piekharen ziet, schatert hij het uit. 'Ha, ha, die Tim! Je bent zeiknat, man. Nu hoef je meteen niet meer te douchen.'

Tim probeert rustig te blijven. Maar als Lindsey ook moet lachen, vliegt hij overeind. Hij pakt Leonne het bekertje af en kiept dat razendsnel boven het hoofd van Willem leeg. 'Hier, en dit is voor jou!'

Op dat moment gaat de deur van de kleedkamer open. Juf Gerda kijkt verbaasd naar binnen. 'Zeg, wat is hier aan de hand?'

'Oh, niks hoor!' Lindsey kijkt de juf met haar liefste gezicht aan. 'We kwamen de jongens water brengen, maar we gaan net weg.'

Naar het stadion

Met een gezicht als een oorwurm komt Tim achter zijn vader het huis in. Hij mikt zijn jas in een hoek van de gang en gooit zijn tas erbovenop.

Ik laat alles er gewoon inzitten, denkt hij chagrijnig. Ook mijn schoenen. Wat kan het mij schelen als ze niet meer glimmen. Ze brengen me toch geen geluk!

Hij ploft neer op de bank in de kamer. Wat een prutwedstrijd! Hij is blij dat hij Willem een bekertje water over zijn kop heeft gesmeten. Dat maakt de middag nog een beetje goed.

'Ha, Tim,' roept zijn moeder uit de keuken. 'Hoe is het gegaan? Heb je ze nog... eh... een poepie laten ruiken?'

Tim geeft geen antwoord. Hij pakt de afstandsbediening van de tv en drukt op de knoppen. Pratende mannen en zingende meisjes flitsen voorbij.

'Tim, geef eens antwoord?' Zijn moeder komt met een glas limonade in haar hand de kamer in. 'Dus je hebt ze niet in de pan gehakt?'

Tim blijft strak naar de tv kijken.

'Tim, ik vraag je wat!'

Zuchtend draait Tim zijn hoofd om. 'We hebben verloren. Door een fout van mij.'

'Nou ja, dat kan iedereen toch overkomen.' Tims moeder zet het glas voor hem neer.

'Dat zei ik ook al,' zegt zijn vader. 'Ik heb vroeger zo vaak een inschattingsfout gemaakt.'

'Ja, vroeger!' Tim blijft kwaad kijken.

'En trouwens, profvoetballers doen ook wel eens wat verkeerd. Toen ik vorige week tv keek, zag ik dat een speler steeds buitenspel stond.'

'Niet.'

'Echt!'

Opeens slaat zijn vader zijn handen in elkaar. 'Zeg Tim, weet je wat? Wij gaan binnenkort naar een echte wedstrijd. In het stadion. Dan kun je zien dat zelfs de beste spelers fouten maken.'

'Naar het stadion?' Tims slechte bui verdwijnt meteen. Hij vergeet zijn gemiste kansen en denkt zelfs niet meer aan Lindsey en Willem. 'Wanneer, pap? Wanneer gaan we?'

Twee weken later zit Tim met zijn vader in het stadion. Hij draagt een T-shirt van zijn favoriete ploeg en heeft zijn roodwitte sjaal om.

'Jeetje, pap. Wat is het hier groot! Ik had nooit gedacht dat er zoveel mensen in een stadion konden.' Tim kijkt opgewonden om zich heen. Hij ziet spandoeken met gekleurde letters en veel schreeuwende supporters.

Hier zou ik ook wel willen spelen, denkt Tim en hij staart naar de groene grasmat.

Zijn vader stoot hem aan. 'Zie je daarboven dat ene vak met dat glas ervoor?'

'Dat is zeker de eretribune,' zegt Tim.

'Nee, daar zitten de bobo's.'

Tim schiet in de lach. 'Wat zijn dat nou weer?'

'Dat zijn mensen die zich heel belangrijk voelen,' legt zijn vader uit. 'Ze betalen veel geld voor een kaartje en daarom mogen ze daar zitten.'

Tim haalt zijn schouders op. 'Ik vind het hier net zo leuk. Ik kan het veld hartstikke goed zien.'

'Dat vind ik ook.' Tims vader wrijft in zijn handen. 'Van mij mag de wedstrijd beginnen.'

'Van mij ook.' Tim zucht diep.

Op dat moment kondigt een stem uit de luidspreker de spelers aan. Een voor een komen ze het veld op.

Er barst een luid gejuich los op de tribune en Tim juicht mee zo hard hij kan.

'Kijk, pap, daar gaan ze. Alle spelers van wie ik een handtekening op mijn bal heb!'

'En daar loopt de tegenpartij.' Zijn vader wijst. 'Het lijkt of ze er zin in hebben.'

'Ze zijn vast helemaal niet sterk,' mompelt Tim. 'Als ik op het veld stond, hakte ik ze allemaal onderuit.' Hij ziet dat de scheidsrechter twee spelers laat tossen en de bal op de stip legt. De wedstrijd begint.

'Spannend,' zegt Tim. Hij gaat op het puntje van de bank zitten om niks te hoeven missen.

Het spel begint rustig. De spelers tikken de bal van de een naar de ander. Maar al snel komt er meer leven in de wedstrijd. Een van de spelers begint te rennen en passt een bal naar voren.

'Zag je dat?' zegt Tim bewonderend. 'Dat was nog eens een lange pass!'

Kon ik het maar zo goed, denkt hij. Dan zou Lindsey altijd naar mij kijken. En nooit meer naar die stomme Willem.

Als een van de tegenspelers met zijn elleboog begint te werken,
vliegt Tim overeind. 'Zo'n duw kreeg ik ook toen ik mijn tand
verloor! Kijk, hier krijgt die speler tenminste een rode kaart!'
Maar al snel vergeet Tim alles. Er wordt een doelpunt gemaakt.
Zijn favoriete ploeg staat voor.
Hij staat te juichen en te springen, hij zwaait met zijn sjaal door
de lucht. 'Op naar de volgende, jongens!'

Een bekende voetballer

'Wat jammer dat het rust is,' zegt Tim teleurgesteld. 'De wedstrijd was net zo spannend.'
Hij loopt achter zijn vader het vak uit. Ze gaan beneden wat te
drinken halen.
'Blijf dicht bij me,' waarschuwt zijn vader.
Maar Tim wordt door een grote groep jongens uit een andere
gang tegen de muur gedrukt. Duwend en schreeuwend lopen
ze hem voorbij.

En dan ziet Tim zijn vader nergens meer. Geschrokken kijkt hij rond. Wat voor kleur trui heeft zijn vader ook alweer aan? Blauw... Ja, op een blauwe trui moet hij letten.
Hij ziet veel mannen met blauwe truien, maar niet één lijkt op zijn vader.

Ik kan beter doorlopen, denkt Tim. Papa staat vast beneden op me te wachten.
Tim is blij als hij het restaurant vindt waar ze koffie en limonade verkopen, maar zijn vader is daar niet.
Weer komt er een groep jongens aan. Tim schrikt van hun stoere jacks en hun harde gelach.
'Hé, kleintje, mag jij ook met je pappie mee?' roept de langste.
Opeens voelt Tim zich heel erg in de steek gelaten. Snel loopt hij naar een van de mannen in een gele jas. Zijn vader heeft verteld dat die er zijn om toezicht te houden.
'Meneer,' begint hij voorzichtig, 'meneer...'
Dan wordt hij afgeleid. Loopt daar niet die bekende voetballer? Ja, hij is het! Tim herkent zijn gezicht van de tv. Wat ziet hij er anders uit in zo'n net pak! Moet hij vandaag niet spelen?
De voetballer loopt naar de man in de gele jas.
'Hallo, steward,' hoort Tim hem zeggen. 'Mag ik erdoor? Ik wil naar de skybox.'
'Natuurlijk, Ronald.' De steward maakt de deur waar hij voor staat open.
Tim kijkt teleurgesteld. Gaat Ronald alweer weg? Hij heeft hem nauwelijks gezien.
Opeens komt er een plan in hem op. Zou hij het durven? Hij weet niet eens wat de skybox is.
'Meneer,' zegt hij zachtjes tegen de man in de gele jas, 'me-

34

neer... daar moet ik ook naartoe.' Hij voelt zijn hart in zijn keel
kloppen.

'Jij?' De man kijkt hem verbaasd aan. 'Zit je vader boven?'

'Ik ben hem kwijtgeraakt.' Tim is blij dat hij niet hoeft te liegen.

'Het is hier ook veel te druk,' zegt Ronald als de steward hem
doorlaat. 'Loop maar met mij mee, jongen. Iemand die mijn
clubkleuren draagt, wil ik graag helpen.'

Opgewonden kijkt Tim naar hem op. Hij kan het bijna niet
geloven. Hij, Tim, samen met de beroemde Ronald. Dat zouden zijn vrienden op school eens moeten zien!

'Ik word later ook voetballer,' zegt hij.

'Goed idee,' zegt Ronald. 'Maar dan moet je veel oefenen. Toen ik net zo oud was als jij, had ik al heel wat ruiten ingetrapt.'

'Echt?' Tim kan zijn oren niet geloven. 'Ik heb thuis ook al drie ruitjes ingepingeld. Mijn moeder was hartstikke kwaad.'

'Dan ben je op de goede weg,' zegt Ronald lachend. 'Waar speel je?'

'Bij Blauw-Wit,' vertelt Tim trots. 'Vorig seizoen heeft mijn ploeg het kampioenschap gewonnen!' Over zijn misser bij het schoolvoetbal vertelt hij liever niks.

'Zie je wel,' zegt Ronald. 'Ga je mee?'

Een poosje later staat Tim in een grote ruimte. Verbaasd kijkt hij om zich heen. Zo! Wat een luxe stoelen en tafeltjes. En dat mooie restaurant daar. Is dit de skybox? Het lijkt wel op het vak dat zijn vader uit de verte aanwees.

Op dat moment dringt het tot Tim door wat de skybox is. Hij krijgt het er warm van. Hier zitten dus al die belangrijke mensen. Hoe noemde zijn vader ze ook alweer? Oh ja, bobo's. Zouden ze weten dat hij hier niet hoort?

Zenuwachtig wacht Tim op Ronald, die een praatje maakt met een man in een mooi pak.

'Ik mag nog zeker zes weken niet met de selectie meedoen,' hoort Tim hem zeggen. 'Die rotblessure! Je snapt hoe graag ik er weer tegenaan zou gaan!'

Ronald geeft de man een hand en stapt op Tim af. 'Zie je je vader al?'

Tim schudt zijn hoofd. Hij zucht diep en de tranen springen in zijn ogen.

'Kom op, knul!' Ronald slaat hem op zijn schouder. 'Zo gauw geven echte voetballers de moed niet op. Je vader staat vast

ergens te praten. Op welke stoel zat je voor de pauze?'
Tim kijkt naar de mooie stoelen en dan naar de vakken aan de overkant. 'Daar,' fluistert hij en hij wijst in de verte. 'Daar ergens.'
'Dáár?' Ronald kijkt verbaasd. 'Maar ik dacht...'

Het shirt

Tim durft Ronald niet meer aan te kijken. Zou hij erg kwaad zijn?

Tot zijn opluchting begint Ronald te lachen.

'Weet je dat ik daar vroeger ook altijd zat,' fluistert hij. 'Het is er heel gezellig. Misschien wel gezelliger dan hier. Kom, we gaan je vader zoeken.'

Weer loopt Tim achter Ronald aan. Als ze de man in de gele jas voorbij zijn, ziet Tim zijn vader. Hij kijkt bezorgd om zich heen.

'Pap!' Tim rent op hem af en drukt zich tegen hem aan. 'Waar was je nou?'

'Dat kan ik beter aan jou vragen,' antwoordt zijn vader. 'Hoe kom jij nu hier met Ronald?'

'Herken je hem?' vraagt Tim verbaasd.

'Tuurlijk. Ik weet ook wel iets van voetbal.' Tims vader geeft Ronald een hand. 'Wat ben ik blij dat jullie mij hebben gevonden. Ik werd knap ongerust toen ik Tim nergens meer zag.'

'Dat kan ik me voorstellen,' zegt Ronald.

Dan wordt er omgeroepen: 'Dames en heren, de tweede helft gaat bijna beginnen.'

Ronald kijkt geschrokken op zijn horloge. 'Ik moet opschieten,' mompelt hij. Hij draait zich snel om en holt een kamer binnen.

Tim kijkt hem teleurgesteld na. 'Ik had nog zo graag een handtekening willen vragen!'

Meteen daarop staat Ronald weer hijgend voor zijn neus. 'Hier, Tim, je krijgt een shirt van me. En denk eraan, veel oefenen, dan komen we elkaar misschien nog eens tegen.'
'Is dit... voor mij?' Tim kijkt naar het rood-witte shirt in zijn handen. 'Gaaf, er staat ook een handtekening op.' Hij wil Ronald bedanken, maar die is al weggehold. Tim ziet nog net dat de man in de gele jas de deur achter hem sluit.

'Mam, kijk eens wat ik heb!' Met het voetbalshirt over zijn kleren rent Tim de kamer in.
Het shirt hangt over zijn knieën en hij heeft de mouwen wel zes keer omgeslagen. Hij voelt zich geweldig.

Zijn moeder bekijkt hem verbaasd. 'Wat zie jij er gek uit. Die trui is je veel te groot. Kon papa geen maatje kleiner kopen?'
'Ik heb hem helemaal niet van papa gehad,' zegt Tim. 'Hij is van Ronald. En als ik papa niet was kwijtgeraakt, had ik dit shirt nooit gekregen.'
'Wat?' Tims moeder zet met een klap haar theekopje neer en kijkt haar man geschrokken aan. 'Was Tim zoek?'
'Eventjes maar,' zegt zijn vader sussend. 'Hij was zo weer terecht.'
'Toch vind ik het dom dat je niet beter op hem gelet hebt. Er had van alles met hem kunnen gebeuren in dat enge stadion.' Tims moeder slaat haar arm om Tim heen. 'Arme schat, hoe heb je papa teruggevonden?'
'Gewoon,' zegt Tim. 'Ik kwam Ronald tegen en die heeft me

toen naar papa gebracht.' Hij bedenkt dat hij maar beter niks
over de skybox kan vertellen. Als zijn vader hoort dat hij daar is
geweest, mag hij vast nooit meer mee.
'Ronald? Wie is dat nou weer?' vraagt zijn moeder. Ze staat op
omdat de bel gaat.
Even later komt ze binnen met de voorzitter van de voetbalclub.
'Ha, Onno,' zegt Tims vader. 'Jij komt zeker vragen hoe het
gaat met de centen van Blauw-Wit.'
Onno knikt. 'Ik ben blij dat ik jouw vrouw na zoveel jaren weer
ben tegengekomen. Een betere penningmeester kan ik me niet
wensen.' Hij slaat Tims moeder op haar schouder en Tim ziet
dat ze rode blosjes op haar wangen krijgt. Hij moet er stilletjes
om grinniken.

Intussen praat Onno door. 'De club geeft binnenkort een groot feest en daarom...' Dan ziet hij Tim staan. 'Zo! Hoe kom jij aan dat shirt? Staat er echt een handtekening van Ronald op?'

'Hij is vandaag naar het stadion geweest,' zegt Tims moeder trots en het lijkt of ze helemaal geen hekel aan die plek meer heeft.

'En daar kreeg hij zomaar een shirt van Ronald?' Onno begrijpt er weinig van. 'Weet je wel hoe bijzonder het is om zo'n shirt te

hebben?' Hij raakt er niet over uitgepraat. 'Volgend weekend ben ik in de skybox uitgenodigd. Misschien krijg ik dan ook zo'n shirt.'

'Die hebben ze daar niet,' zegt Tim.

'Doe niet zo eigenwijs!' Zijn vader kijkt hem fronsend aan. 'Wat weet jij er nou van?'

'Heel veel,' mompelt Tim. Maar als hij merkt dat zijn vader niet meer luistert, loopt hij stampend naar boven.

Hij haalt een hamer en een spijker uit zijn timmerdoos en klimt op zijn bed. Handig slaat hij de spijker in de muur.

Hier moet het shirt van Ronald hangen, denkt hij. Als ik in bed lig, moet ik het goed kunnen zien. Hij gaat op zijn kussen liggen en stelt zich voor hoe hij als Ronald over het veld rent.

Opeens springt hij op, pakt zijn bal met de handtekeningen van de plank en legt hem voor zijn voet. Hij voelt zich een echte topspeler. Rustig dribbelt hij zijn kamer door.

'En hier, dames en heren,' roept hij, 'ziet u de geweldige Tim in actie. Gaat hij aanvallen? Ja, het lijkt erop. Wat een balbeheersing, wat een techniek! Kijk, hij passeert vlekkeloos alle tegenstanders. Wordt dit een doelpunt?'

Tim wil de bal wegschieten.

Op dat moment gaat de deur open. Zijn moeder wil met een blad met koekjes en limonade binnenkomen.

'Niet doen!' gilt ze. Maar de bal is niet meer te stoppen. Hij raakt precies het blad.

'Goal!'

Feest

Een paar weken later loopt Tim met Marc en Samir van school naar huis.

'Nog één dag,' zegt Tim met een zucht, 'dan is het gelukkig weekend. Ik wou dat we nu al vrij hadden. Ik heb echt zin in het feest van Blauw-Wit!'

'Ik ook,' zegt Samir. 'Vooral in het penaltyschieten.' Hij doet net alsof hij keihard tegen een bal schopt. 'Ik heb gehoord dat er een beroemde keeper komt. Ik ben benieuwd of hij mijn ballen kan houden.'

'Geef mij maar de dropping op vrijdagavond,' zegt Marc. 'Iedereen raakt vast de weg kwijt in het donker. Zeg, weten jullie al dat Willem ook lid van Blauw-Wit is geworden?'

'Willem?' Tim kijkt opeens een stuk minder vrolijk. Die stomme Willem. Waarom blijft hij niet gewoon op straat voetballen. Maar veel tijd voor gepieker heeft hij niet, want Marc stoot hem aan.

'Hé Tim, volgens mij zie ik je moeder. Wat doet ze daar in die boom?'

Tim kijkt naar de plek die Marc aanwijst. Ja, daar staat zijn moeder op een trap te wiebelen. Snel holt hij naar haar toe.

'Mam, wat ben je aan het doen? Straks val je nog!'

'Ik hang een spandoek op,' zegt zijn moeder. 'Kun jij me even helpen? Ik kan net niet bij die hoge tak.'

'Laat mij het maar doen,' roept Samir en hij klimt al in de boom. 'Trekken maar, deze kant zit vast.'

Tims moeder spant het laken naar de overkant van de straat.

'Blauw-Wit 60 jaar,' leest Tim. 'Mooi, mam!'

'Zeker mooi,' roept Lindsey. Ze komt buiten adem naar Tim en zijn vrienden toe gerend. 'Mag ik ook helpen?'

Maar Samir heeft het tweede touwtje al vastgeknoopt.

Tims moeder bekijkt tevreden het resultaat. 'Goed zo, nu weet iedereen dat er dit weekend feest is.'

'Ik kom elke dag,' roept Lindsey uitgelaten. 'En mijn vader en moeder gaan meedoen met het verkleed-voetbal.'

'Ik ook,' zegt Tims moeder.

'Jij?' Tim weet niet wat hij hoort. 'Maar mam, je kunt niet eens voetballen. Ken je de regels wel?'

Zijn moeder lacht. 'Onno vroeg of papa en ik mee wilden spelen. Het leek me wel een leuk idee.'

'Hmm...'

Tim haalt zijn schouders op. Hij ziet zijn moeder al over het veld rennen.

'Zullen wij ze gaan aanmoedigen?' vraagt Lindsey. 'Die moeder van mij kan ook geen bal raken. Kunnen we lachen.'

'Wij?' Tim kijkt Lindsey hoopvol aan. Heeft hij haar goed verstaan?

Lindsey knikt. 'Dan leen ik Jantiens toeter.'

'Ja... eh... goed,' zegt Tim. Hij vindt het helemaal niet erg meer dat zijn moeder meedoet met het voetballen. Hij gaat aanmoedigen, samen met Lindsey.

'Ik kom kijken, mam,' roept hij vrolijk. 'Maar dan moet je wel scheenbeschermers aantrekken. Je zegt zelf altijd hoe belangrijk dat is.'

Het is vrijdag. Het feest van Blauw-Wit is begonnen. Onno

heeft in de kantine een toespraak gehouden en nu staat iedereen te wachten op het verkleed-voetbal.

Tim rent nog gauw naar het springkussen dat speciaal voor het
feest is neergezet.

Hij schrikt als hij Lindsey met Willem ziet springen. Maar dan
herinnert hij zich dat Willem nu ook lid van Blauw-Wit is.

Zal hij teruggaan? Maar Willem heeft hem al gezien.

'Hé, Tim,' roept hij, 'ben je in vorm voor het penaltyschieten?
Ik schoot vanmiddag alle pingels raak.'

Tim bedenkt dat hij ook even had willen oefenen. Maar hij
moest zijn moeder helpen met het versieren van de kantine.

'Ik wou dat het al morgen was,' roept Willem. 'Hoewel, in de
dropping van vanavond heb ik ook wel zin.' Hij springt op en
maakt snel een mooie salto.

'Goh, wat kun jij dat goed!' Lindsey klapt bewonderend.

Tim heeft zin om zijn vingers in zijn oren te stoppen. Stomme

Willem, stomme praatjesmaker! Hij wil niet horen hoe Lindsey hem aanmoedigt.

Ik ga ook een salto proberen, denkt hij.

Hij springt hoog op. En hoger, en hoger. Dan duikt hij naar voren. Plof, met een smak komt hij op zijn rug terecht.

'Nee, oen, zo moet het niet!' Willem moet lachen. 'Die salto van jou lijkt meer op een omgekeerde zweefduik. Zal ik het eens voordoen?'

Maar Tim heeft geen zin meer in salto's. Vooral niet als Willem erbij is. 'De wedstrijd gaat beginnen,' zegt hij. Hij springt van het springkussen en holt naar het veld.

'Wacht op mij,' roept Lindsey.

Als ze bij het veld zijn, komen de spelers er al aan.

Het publiek begint te juichen en te fluiten. Tim weet niet wat hij ziet. Clowns, cowboys, een zeerover; er loopt van alles rond.

'Hoe zien jouw vader en moeder eruit?' vraagt Lindsey.

Tim haalt zijn schouders op. 'Ik weet het niet. Ze wilden niet vertellen hoe ze verkleed zouden gaan.'

Dat vindt Lindsey flauw. Samen met Tim bekijkt ze alle spelers. Die rare ridder, zou dat Tims vader zijn? Of die gekke aap?

Dan ziet Tim zijn moeder in een heel gekke jurk lopen. Ze heeft een zwarte pruik op en om haar nek hangt een sjaal van zwarte veren.

'Daar, Lindsey, die vrouw met die paarse laarsjes. Dat moet mijn moeder zijn. Moet je haar zien zwaaien met die veren. Niemand doet zo gek als zij!'

'Welnee,' zegt Lindsey. 'Dat moet juist. Heb je mijn moeder gezien? Die is verkleed als indiaan. Dat is pas dom!' Ze begint keihard op haar toeter te blazen.

'Wie moet eigenlijk tegen wie?' vraagt ze dan.

'De zwarten moeten tegen de rooien,' zegt Tim. 'Dat hoorde ik van Onno. Kijk, de zwarte zeerover heeft nu de bal en die man in dat rode nachthemd probeert hem af te pakken.'

Dat rode nachthemd? Tim moet opeens ergens aan denken. Waar heeft hij zo'n nachthemd eerder gezien?

Ja, hij weet het! 'Dat is mijn vader, met het nachthemd van mijn moeder aan!' roept hij.

'Echt?' Lindsey ligt dubbel van het lachen.

'Moet je die borsten zien schudden!' roept Tim. 'Nu snap ik waarom er ballonnen in de keuken lagen.' Hij gebruikt zijn handen als toeter en begint te schreeuwen. 'Toe, pap, ga ervandoor met die bal.'

Zijn vader moet moeite doen om de zeerover bij te houden. Hij holt en holt. Net als hij de bal probeert te onderscheppen, floept een van de ballonnen onder zijn nachthemd uit.

'Ja, dat is een mooie bal!' Het publiek staat te klappen en te joelen en komt niet meer bij van het lachen.

Tims vader probeert de opstijgende ballon te pakken, maar het lukt hem niet.

De wedstrijd gaat intussen door. De zwarten vallen goed aan. De indiaan krijgt de bal en schiet hem snel over naar Tims moeder.

'Oh, nee toch!' Tim durft bijna niet te kijken. Hoe kan zijn moeder nou rennen op die gekke laarsjes? Tot zijn verbazing houdt ze de bal bij zich en dribbelt ze rustig naar voren.

'Ze gaat naar het doel!' Opgewonden klapt Tim in zijn handen.
'Goed zo, mam. Ram die bal erin!'
Maar dan ziet hij hoe de zwarte sjaal met veren van haar schou-
ders glijdt en tussen haar benen terechtkomt. Ze struikelt en
valt languit voorover op het veld. Stokstijf blijft ze liggen.
'Mam!' Tim wil naar haar toe rennen, maar zijn vader is hem
voor. Voorzichtig helpt hij zijn vrouw overeind en hangt de
sjaal om haar nek.
Tim ziet dat de gekke jurk gescheurd is, maar zijn moeder lacht
gelukkig weer.
'Goed gedaan,' juicht het publiek.
Intussen kijkt Tims vader beteuterd naar zijn nachthemd.
'Mijn ballon,' roept hij. 'Mijn laatste ballon is geknald!'

De dropping

Het wordt een spannende wedstrijd. Tims moeder valt nog een keer en de indiaan verliest haar pruik. Toch winnen de zwarten.
'Goed gespeeld, mam,' roept Tim trots en samen met Lindsey loopt hij naar de kantine.
'Gaan jullie snoep voor de dropping kopen?' Willem komt naast hen lopen. 'Ik wou dat we gingen.'
'Het is nog veel te licht,' zegt Lindsey. 'Het moet donker zijn als we vertrekken.'

In de kantine ziet Tim zijn vader en moeder zitten. Ze zijn druk in gesprek met Onno.
'Wat een wedstrijd,' hoort Tim zijn moeder zeggen. 'Ik heb nog nooit zo gelachen in mijn leven! Heb je gezien hoe vies ik ben geworden?'
'Je was nog net zo fanatiek als vroeger met hockey,' zegt Onno en hij neemt vrolijk een slok van zijn biertje.
Dan ziet hij Tim staan. 'Hé, heb je vandaag je shirt van Ronald niet aan? Je moet me toch eens vertellen hoe je daaraan gekomen bent. Toen ik in het stadion was, kon ik er nergens eentje krijgen.'
'Wat, heb jij een shirt van Ronald, die voetballer?' Willems mond valt open van verbazing.
'Echt?' vraagt Lindsey. Ze kijkt Tim zo lief aan dat hij wel moet vertellen hoe de zaak in elkaar zit.
'Ik was mijn vader kwijtgeraakt in het stadion. Toen zag ik

Ronald. Hij nam me mee naar de skybox en daarna gaf hij mij dat shirt.'

'Naar de skybox?' Onno begint hard te lachen. 'Tim, man! Jij maakt het verhaal steeds mooier! In de skybox komen echt geen kinderen. Neem dat van mij aan. En ik kan het weten, want ik ben er pas geweest.'

'Toch is het zo,' mompelt Tim en hij voelt zich kwaad worden op die stomme Onno.

Een uurtje later stappen alle pupillen van Blauw-Wit uit een bus. Ze staan in een donker bos.

'Wat ben ik blij dat ik er ben!' Samir veegt een paar zweetdruppels van zijn voorhoofd. 'Ik kreeg het bloedheet toen ik mijn trui over mijn hoofd moest trekken.'

'Spannend juist,' zegt Lindsey. 'Nu heeft niemand stiekem naar buiten kunnen gluren.'

'Vind je het hier spannend?' Willem schijnt met zijn zaklamp over de stammen van de bomen. 'Volgens mij is hier niks te beleven.'

'Dat zou ik niet te hard roepen,' zegt Cor, een van de trainers die mee is. 'Er lopen hier nog echte wolven rond.'

'Ja!' roept Lindsey. 'En die lusten graag een hapje van jouw dikke billen!' Maar als Willem haar boos aankijkt, houdt ze gauw haar mond.

Cor klapt in zijn handen. 'Luister, jongens, het is de bedoeling dat jullie de parkeerplaats van het bos zoeken. Daar staat de bus straks te wachten. Je moet zelf weten welke kant je opgaat, maar blijf wel bij een groepje lopen.'

'Makkie,' roept Samir. 'Dat heb ik zo gevonden.' Hij wenkt zijn vrienden. 'Ik ben hier wel eens geweest,' fluistert hij. 'Tussen

die bomen lopen paadjes. Als we die volgen, zijn we er zo.'

'Laten we gaan!' roept Marc. Samen met Willem loopt hij achter Samir aan.

Tim kijkt nog of hij Lindsey ziet. Maar ze is al in het donker verdwenen.

'Ik kan écht niet meer!' Hijgend zakt Willem op een omgehakte boomstam neer en schijnt met zijn zaklamp in het gezicht van Samir. 'Wanneer zijn we er nou? Jij wist de weg toch zo goed? We lopen al meer dan twee uur!'

'Doe eerst die lamp uit,' snauwt Samir. 'Zo zie ik niks meer!' Hij gaat naast Willem zitten en zucht diep. 'We moeten er echt bijna zijn. Het kan niet anders!'

'Ik hoop het.' Willem begint luid te gapen. 'Zo zijn we morgen nog te laat voor het penaltyschieten.' Hij springt op als hij achter zich geritsel hoort. 'Wat... wat was dat? Hoorden jullie het ook?'

'Jij bent ook gauw bang!' Tim kijkt verbaasd naar het geschrokken gezicht van Willem. 'Dat is gewoon een muis die uit zijn hol komt. Of denk je dat er toch wolven in dit bos zitten?'

Willem schopt kwaad een dennenappel in Tims richting. 'Ach, man, jij bent zelf hartstikke bang. Als jij in het stadion verdwaalt, ga je stoere verhalen over de skybox verzinnen!'

Tim haalt zijn schouders op. Het kan hem niks schelen dat Willem hem niet gelooft. Maar hij wilde dat hij nog wat te eten had. Zijn rol snoep is allang op. Stom dat hij naar Samir geluisterd heeft. Als hij net op die kruising rechtsaf was gegaan, was hij allang op de parkeerplaats geweest.

'Ik ga terug,' roept hij opeens.

'Je bent gek!' De zaklamp van Willem floept aan in Tims gezicht. 'Je moet bij ons blijven. Dat heeft Cor zelf gezegd.'

'Nee!' Tim zet het op een lopen. 'Ik zoek zelf de weg wel!'

'Tim!'

Hij hoort nog dat Marc hem roept, maar hij reageert niet.

Bij de kruising slaat hij rechtsaf. Rustig holt hij door. Zijn ogen zijn allang aan het donker gewend. Nog even en hij is er.

'Au!' Hijgend blijft Tim staan. Verdorie, dat hij nu net steken in zijn zij krijgt. Hij buigt zich voorover en hoort zijn eigen puffende adem. Verder niks. Alleen maar adem en het ritselen van bladeren.

Plotseling wordt Tim bang. Stel je voor dat hij toch verkeerd loopt. Hoe moet hij dan uit dit bos komen?

Ik moet doorhollen, denkt hij. Ik kan hier niet blijven staan. Met zijn hand in zijn zij sukkelt hij verder.

Zou zijn vader hem gaan zoeken als hij straks niet met de anderen meekomt? Of misschien zelfs Onno?

Als Tim aan Onno denkt, krijgt hij weer een steek. Die zou natuurlijk meteen over het shirt van Ronald gaan zeuren. Al voelt Tim zich rot, hij moet toch grinniken.

'Ja, zeg, lukt het een beetje!' Vlak voor Tim, aan de linkerkant van het pad, duikt iemand op uit de struiken. 'Ik kan ook nergens rustig plassen!'

'Lindsey!'

Tim weet niet wat hij ziet. Daar staat Lindsey!

Ze trekt gauw haar broek omhoog en kijkt hem boos aan. 'Zit jij mij te begluren? Waar kom jij nou vandaan?'

'Uit het bos natuurlijk.'

'En waar zijn de anderen van je groep?'

'Oh, daar ergens.' Tim voelt zich ontzettend opgelucht. Hij is niet meer alleen. Hij is met Lindsey. 'Ben jij ook verdwaald?'

'Nee, gelukkig niet!' Lindsey's stem klinkt al niet boos meer. 'De andere meiden zijn verderop. Maar ik moest zo nodig!' Ze schatert het uit van het lachen. 'En toen ik klaar was, stond jij daar ineens!'

'Ik stond niet,' zegt Tim, 'ik rende.'

Samen met Lindsey loopt hij verder. Ze heeft nog lekkere pepermuntjes bij zich.

Tim is helemaal niet blij als hij een kwartiertje later de lichten van de bus ziet schijnen. 'Zijn we er nu al?' zegt hij teleurgesteld.

'Gelukkig wel.' Lindsey zucht diep. 'Ik ben hartstikke moe. En morgen moeten we al om elf uur pingels schieten.'

'Ach, morgen,' zegt Tim en hij wilde dat hij de hele nacht met Lindsey door het bos kon lopen.

Pingels

'Wat ben je laat!' roept Samir als Tim de volgende morgen de kleedkamer van Blauw-Wit binnenkomt. 'Schiet op, man, we beginnen bijna.'

'Laat?' Tim kijkt Samir kwaad aan. 'Dat moet jij nodig zeggen. Op wie moesten we gisteravond zo lang wachten? Als jullie naar mij geluisterd hadden, waren jullie veel eerder bij de parkeerplaats geweest.' Hij zegt er niet bij dat het hem wel goed uitkwam. Nu heeft hij gezellig met Lindsey kunnen kletsen.

Tim trekt zijn voetbalkleren aan en poetst zijn schoenen op met de mouw van zijn shirt. Daarna holt hij naar het veld. Langs de lijn staat al veel publiek.

'Ik wou dat we gingen beginnen,' jammert Samir. 'Ik hou niet van wachten. Dat is slecht voor mijn concentratie.'

'Voor je... wat?'

Maar Samir geeft geen antwoord op die vraag. 'Kijk, daar komt die keeper aan.'

'Is hij het echt?' Tim maakt zich zo lang mogelijk. 'Wat ziet hij er sterk uit. Die laat vast niet één bal door!'

De scheidsrechter geeft de keeper een hand en loopt met hem naar het doel. Dan wijst hij aan waar de spelers moeten staan.

'Alle pupillen hier staan,' roept hij. 'En de junioren daar. Maak een rij per groep, we gaan beginnen.'

Tim kijkt zoekend om zich heen. Is Lindsey er nog niet? Ze had nog zo gezegd dat ze zou komen.

Hij schrikt als hij haar met Willem het veld op ziet rennen. Bemoeit ze zich nou weer met die sukkel?

Maar Lindsey zwaait vrolijk naar Tim en gaat bij de meiden staan.

'Jongens,' roept de scheidsrechter, 'dit is Leo, de beroemde keeper, die jullie natuurlijk allemaal kennen.'

'Jaaa!' Iedereen begint te klappen en te juichen.

'Jullie mogen om de beurt de bal in het doel schieten. Zijn jullie zover?'

De scheids legt de bal op de stip en fluit. De meisjes mogen beginnen.

'Zet hem op, meiden,' roept iemand uit het publiek.

Algauw is Lindsey aan de beurt.

Ik hoop dat ze hem erin schiet, denkt Tim en hij voelt zich heel zenuwachtig worden.

De keeper heeft net twee keer achter elkaar een bal tegengehouden.

Hij houdt zijn adem in als Lindsey naar voren rent. Lukt het haar? Ja, ze knalt de bal recht het doel in!

'Goeie bal!' roept Tim opgelucht.

'Nu de jongens,' roept de scheidsrechter.

'Eindelijk!' Samir springt zenuwachtig van het ene been op het andere en wacht op het fluitje. Hij dribbelt naar voren, versnelt zijn pas en schiet de bal precies tussen de benen van de keeper door.

'Wat een gave pingel!' Iedereen klapt bewonderend en zelfs de keeper steekt zijn duim op.

'Ik zei toch dat ik in vorm was.' Samir maakt blij een sprong in de lucht.

Tim voelt zijn hart bonzen. Nu is hij aan de beurt. Hij is nooit zo goed als Lindsey en Samir.

Langzaam loopt hij naar voren. Welke kant zal hij op schieten? Zjoefff... hij trapt de bal keihard het doel in, rakelings langs de handen van de keeper.

'Pfff,' zucht Tim. Wat een geluk!

De tweede ronde schiet Tim ook raak en de derde en de vierde.
Dan zijn er nog maar een paar spelers over.

Tim kijkt naar Lindsey die zenuwachtig staat te wachten. Zij heeft tot nu toe ook alle ballen erin gekregen.

De keeper trekt zijn handschoenen strak en gaat wijdbeens in het doel staan.

Dit keer lukt het me niet, denkt Tim. Samir is veel beter. Wat een geluk dat Willem de vorige ronde al afgevallen is.

'Stom, dat ik niet naar rechts schoot,' hoort Tim hem zeggen. 'Ik had makkelijk kunnen winnen!'

Tim veegt het zweet van zijn voorhoofd. Winnen, ja, daar gaat het nu om. Hij kijkt naar de glimmende neuzen van zijn schoenen. Zouden ze hem geluk brengen?

Opeens merkt hij dat het publiek onrustig wordt.

'Er is nog een voetballer gekomen,' gonst het door de rijen.

Verbaasd kijkt Tim om zich heen. Waar heeft iedereen het over?

Dan ziet hij Ronald staan, vlak achter het doel.

Ronald? Wat komt die hier nou doen? Tim wil naar hem zwaaien, maar de scheidsrechter fluit.

Nu moet ik laten zien wat ik kan, denkt Tim. Hij rent naar voren, draait naar rechts en het lukt hem de bal nog net naar links te schieten.

De keeper duikt...

'Hij zit!' juicht Lindsey. 'Wat een mooi schot!'

'Nu krijgen we de officiële uitslag van het penaltyschieten,' zegt Onno plechtig. 'We hebben twee winnaars van de pupillen en twee van de junioren. Kunnen Lindsey en Tim eerst bij mij komen?'

'Jaaa!' Het publiek begint te klappen.

Verlegen kijkt Tim om zich heen. Hij kan het nog niet geloven. Heeft hij echt de pingelwedstrijd gewonnen? Als Lindsey hem mee naar voren trekt, weet hij dat het echt is.

'Dit is hem dan, Tim.' Onno drukt hem een mooie beker in zijn handen. 'En jij, Lindsey, krijgt er net zo een.'

'Jippie!' Juichend steekt Lindsey haar beker hoog de lucht in. Tim doet haar na.

'Blijven staan zo,' roept Onno. 'Dat wordt een mooie foto.'

'Kan dat niet wat vrolijker?' Tim herkent de stem van Ronald. 'Een jongen die met mij in de skybox heeft gezeten, durft toch wel zijn arm om een meisje heen te slaan?'

'Wat?' Onno laat zijn camera zakken. 'Is het dus toch waar?' Tim moet lachen om zijn verbaasde gezicht. 1-0 voor mij, Onno, denkt hij.

Ronald stapt het veld op. Hij wil de arm van Tim om Lindsey leggen maar Lindsey pakt Tim zelf al vast.

'Klikken maar,' roept ze vrolijk.

Na de foto gaat Tim met Ronald naar de kantine. Van alle kanten komen kinderen om een handtekening bedelen.

Zo gaat het dus als je beroemd bent, denkt Tim. Zo beroemd wil ik later ook worden. Trots laat hij zijn beker aan Willem zien.

'Gaaf, zeg!' Willem strijkt bewonderend over het glimmende zilver. 'Zeg... eh, denk je dat ik ook een handtekening kan krijgen?'

'Tuurlijk,' zegt Tim en hij trekt Ronald aan zijn jasje.

'Was u ook door Blauw-Wit uitgenodigd?' wil Willem weten.

Ronald schudt zijn hoofd. 'Ik bracht Leo weg. En toen ik het bord van Blauw-Wit zag, moest ik opeens aan Tim denken.'

'Aan mij?' Tim weet niet wat hij hoort.

'Maar ik wist niet dat je zo'n leuk vriendinnetje had.'

'Ik wist allang dat Tim op Lindsey was,' zegt Willem en hij geeft Tim een por in zijn zij. 'Kijk maar eens wat een rode kop hij weer krijgt!'

Tim zegt niks. Hij trekt gauw de deur van de kantine open en ziet grote stapels pannenkoeken staan.

'Hier, Tim, hier!' Lindsey wenkt dat hij moet komen. 'Ik heb een plaatsje voor je vrijgehouden.'

Als Tim zit, pakt Ronald een opgerolde pannenkoek van de stapel. 'Aanvallen, jongens. Laat de pannenkoeken niet koud worden!'